Cuentos para sentir

A María Miramón y Ana Belén Ayuso, por su ternura, coraje, lealtad y cariño infinito.

A.T.

Este libro se ha realizado en colaboración con APNADAH
(Asociación de Padres para Niños y Adolescentes
con Déficit de Atención e Hiperactividad)
www.apnadah.org

Proyecto editorial: María Castillo
Dirección editorial: Elsa Aguiar
Coordinación editorial: Teresa Tellechea

© Del texto: Almudena Taboada, 2011
© De las ilustraciones: Ulises Wensell, 2011
© Ediciones SM, 2011
  Impresores, 2 – Urbanización Prado del Espino
  28660 Boadilla del Monte (Madrid)

ATENCIÓN AL CLIENTE
Tel.: 902 121 323
Fax: 902 241 222
clientes@grupo-sm.com

ISBN: 978-84-675-4573-9
Depósito legal: M-44990-2010
Impreso en la UE / *Printed in EU*

URKO, EL OSEZNO

ALMUDENA TABOADA
Ilustraciones de **ULISES WENSELL**

URKO, EL OSEZNO, VIVE CON SU HERMANO MARTÍN
EN UNA CUEVA A LOS PIES DE LA MONTAÑA.
ES UN OSO PEQUEÑO Y NERVIOSO.
LE CUESTA PRESTAR ATENCIÓN EN LA ESCUELA
Y RESPETAR A LOS ANIMALES DEL BOSQUE CUANDO JUEGAN.

URKO, EL OSEZNO, NO PUEDE QUEDARSE QUIETO.
SE LEVANTA Y SE SIENTA, DA PATADAS A LAS COSAS
Y MOLESTA SIN CESAR CON LOS GOLPES
DE SUS ZARPAS AFILADAS.
—¡URKO! ¡YA VALE! —PROTESTAN SUS AMIGOS ENFADADOS.
—¡DÉJANOS TRABAJAR EN PAZ!
—LE RUEGAN SUS COMPAÑEROS DE CLASE.

URKO, EL OSEZNO, ESTÁ TRISTE.
NO COMPRENDE POR QUÉ SE VA QUEDANDO SOLO.
ÉL QUIERE TENER AMIGOS, PERO ES TAN DIFÍCIL...

OSO MARTÍN Y LA MAESTRA TERESA LO MIRAN PREOCUPADOS.
ELLOS SABEN QUE URKO ES UN OSEZNO PESADO
PORQUE NO PUEDE COMPORTARSE DE OTRO MODO.
SABEN QUE A URKO, EL OSEZNO, LE CUESTA SER PACIENTE,
RESPETAR A LOS DEMÁS O PARTICIPAR EN LOS JUEGOS SIN RABIAR
PORQUE CREE QUE A ÉL NADIE LE HACE CASO.

LA MAESTRA TERESA SE ACERCA A MARTÍN Y LE DICE:
—TENGO UNA IDEA PARA QUE LOS OSEZNOS NO PROTESTEN
CUANDO ESTÉN CON TU HERMANO Y LO QUIERAN COMO ES,
PERO NECESITO QUE COLABORES CONMIGO.
—¡ESTUPENDO! ¡CUENTA CONMIGO! —ASIENTE MARTÍN.

LA MAESTRA TERESA TIENE UN LIBRO CON JUEGOS DIVERTIDOS
PARA REALIZAR CON SUS ALUMNOS.
SE COLOCA ENTRE ELLOS Y EMPIEZA A EXPLICAR:
—HOY VAMOS A JUGAR A LA CARRERA DE LOS CARACOLES.
URKO, EL OSEZNO, MIRA INTRIGADO A MARTÍN,
QUE ESTÁ SENTADO A SU LADO.

LA MAESTRA CONTINÚA:
—EL JUEGO CONSISTE EN ARRASTRARSE
COMO SI FUERAIS CARACOLES ENTRE LOS MATORRALES DEL BOSQUE.
¡OJO! ¡AQUÍ NO VALE CORRER!
GANARÁ QUIEN LO CRUCE MÁS DESPACIO Y SIN MOLESTAR,
EMPUJAR O GOLPEAR A LOS DEMÁS.
ES IMPORTANTE QUE RECORDÉIS ESTO:
OSO RESPETUOSO, OSO CON MUCHOS AMIGOS.

LOS OSEZNOS NO ENTIENDEN MUY BIEN PARA QUÉ SIRVE EL JUEGO
Y MARTÍN LES HACE UNA DEMOSTRACIÓN.
SE COLOCA BOCA ABAJO Y, CON AYUDA DE SUS PATAS,
CONSIGUE ARRASTRARSE POCO A POCO SOBRE LA TIERRA.
LA CLASE ENTERA SE RÍE Y TODOS QUIEREN EMPEZAR A JUGAR.

META

OSO MARTÍN COGE A SU HERMANO DEL BRAZO Y LE DICE:
—URKO, NO TE DISTRAIGAS Y AVANZA HACIA LA META
COMO SI FUERA UN CUENCO DE MIEL QUE TANTO TE GUSTA.
SI LOGRAS SEGUIR LAS REGLAS,
TU SERÁS EL AUTÉNTICO CAMPEÓN.
TERESA, LA MAESTRA, PIDE A SUS ALUMNOS
QUE SE TUMBEN EN LA LÍNEA DE SALIDA.
TOMA SU SILBATO Y PITA EL INICIO DE LA CARRERA.

URKO, EL OSEZNO, FRUNCE LA FRENTE
Y SE CONCENTRA EN LO QUE SU HERMANO LE HA DICHO.
SUS COMPAÑEROS ESTÁN EXCITADOS Y SE ARRASTRAN DEPRISA.
URKO LOS MIRA DE REOJO Y EMPUJA SU CUERPO
COMO MARTÍN LES HA ENSEÑADO.

LOS OSEZNOS-CARACOLES HAN LLEGADO AL OTRO LADO DEL BOSQUE
Y OBSERVAN EL ESFUERZO DE SU AMIGO
PARA NO LEVANTARSE Y EMPEZAR A INCORDIAR
COMO ÉL SUELE HACER.
AHORA SE DAN CUENTA DE QUE CON ESTE JUEGO
URKO HA SEGUIDO LAS NORMAS PARA RESPETAR A TODOS.
—¡ÁNIMO, URKO! ¡LO VAS A CONSEGUIR! —DICE TERESA LA MAESTRA.
—¡ÁNIMO! —GRITA MARTÍN ORGULLOSO DE SU HERMANO.

URKO, EL OSEZNO, COMPRENDE POR FIN
CÓMO TIENE QUE PORTARSE
PARA QUE LOS ANIMALES DEL BOSQUE
QUIERAN JUGAR CON ÉL.
SONRÍE Y REPITE CONTENTO:
—OSO RESPETUOSO, OSO CON MUCHOS AMIGOS.

Cuentos para sentir